El punto

y la RAYA

1ª edición: marzo de 2009

© Cangrejo Editores, 2009
Carrera 24 No 59-64, Bogotá D.C., Colombia
Telefax: (571) 252 96 94, 434 41 39
E-mail: cangrejoedit@cangrejoeditores.com
Web: www.cangrejoeditores.com – Bogotá D.C., Colombia

ISBN: 978-958-8296-21-0

Preparación editorial: Cangrejo Editores
Preprensa digital: Cangrejo Editores

Proyecto y realización: Sandra Donin. Proyectos Editoriales
Diseño: Sandra Donin y Martha Cuart

Textos: Mariana Inés Pellegrino
Ilustraciones: Mariana Nemitz

Impreso por: Cargraphics S.A.
Impreso en Colombia – *Printed in Colombia*

Mariana I. Pellegrino • Mariana Nemitz

El **punto**

y la RAYA

CANGREJO
EDITORES

Había una vez un **punto**.

Era redondito y negro, como todos los puntos del universo.

●

Se sentía solo…

Sentía que por culpa
de sus bordes resbaladizos
tenía que mantener distancia
de otros puntos como él.
Sentía que nunca podía estar
completamente cerca de otro;
que los abrazos nunca eran perfectos
por culpa de las curvitas de su cuerpo.

Al **punto** no le gustaba sentirse así...

Los **puntitos** redonditos nacieron para ser alegres…

Para rodar con carcajadas, rebotar con muchas risas

y balancearse con muecas de felicidad.

El **puntito** no quería más estar solo,
no quería perderse sonrisas.

Un día, se cruzó
por su camino una **raya**.

Ahhh, ¡cuánto le gustaba esa **rayita**!

L a r g a   y   d e l g a d a ...

... el movimiento horizontal
de la **raya** le fascinaba.

Pero al **puntito** le daba vergüenza

acercarse a la **raya**.

Se la imaginaba tan contenta

con su forma, tan libre para

desplazarse por el pasto

que el **puntito** pensaba

que él sólo sería

un estorbo para ella.

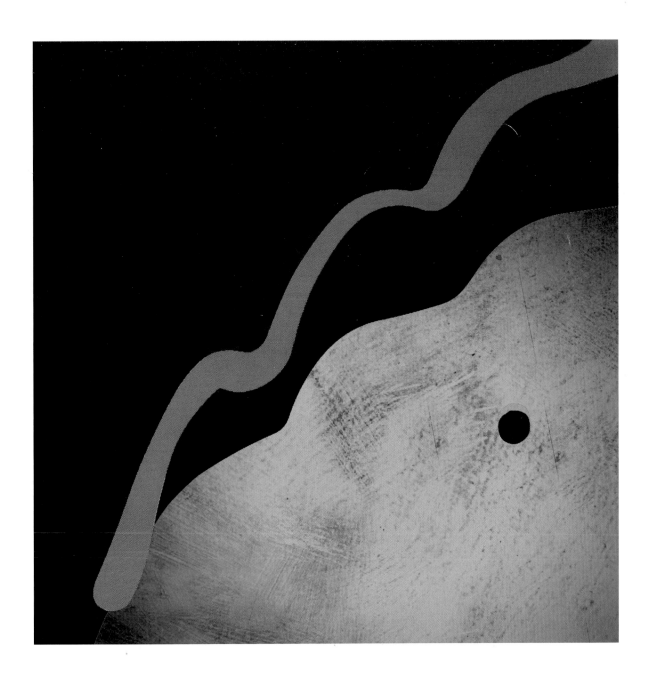

Pero la **raya** también pensaba...

¡Pensaba que el **puntito** era fabuloso!
Cómo le gustaría a ella poder rodar con carcajadas,
rebotar con muchas risas y balancearse
con muecas de felicidad.

Ella
se sentía
muy plana

Sólo se movía por la superficie
y cuando estaba triste,
perdía las ganas de enroscarse
en un espiral…
sólo cuando era feliz
lograba doblar su rigidez.

A la **raya** también le daba vergüenza acercarse
a ese **punto** que ella creía tan lleno de energía.

Pero, por suerte, los dos eran curiosos.
Y esa curiosidad le ganó a los miedos de los dos.

Rebotando, el **punto** se acercó.

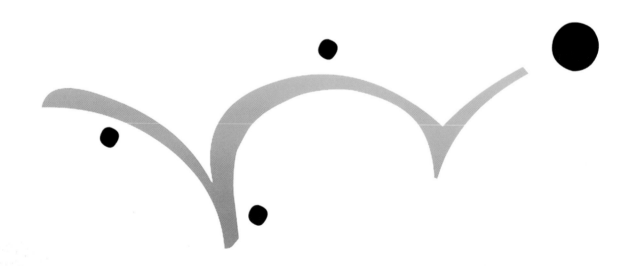

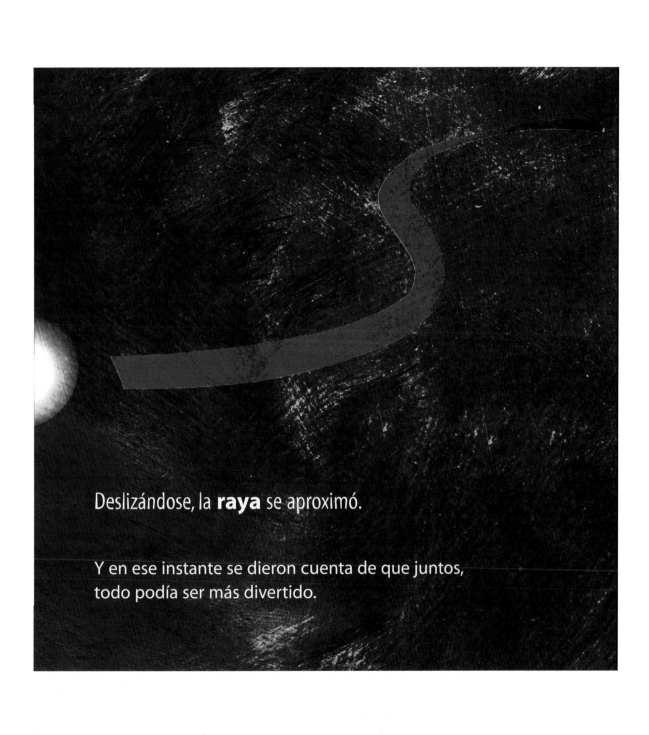

Deslizándose, la **raya** se aproximó.

Y en ese instante se dieron cuenta de que juntos,
todo podía ser más divertido.

¡Aunque eran diferentes, cuando estaban
juntos no se sentían diferentes!
Las distancias entre el **punto** y la **raya**
no existieron nunca más…

Se dieron las manos y con sonrisas decidieron adueñarse del mundo.

Cuando el **punto** le daba la mano a la **raya**
podía deslizarse como si tuviera patines.

Cuando la **raya** le daba la mano al **punto**
podía con él rebotar, dar volteretas por el aire
y disfrutar de su tan deseado espiral.

El **punto** se hinchaba de emoción
y cuanto más se hinchaba, más alto podía rebotar.

La **raya** se estiraba de tanta felicidad
y ondulaba cada vez más como un tobogán.

Desde entonces, el **punto** y la **raya** se unieron
para siempre y por mucho tiempo más.

Desde entonces, el **punto** y la **raya**
le dan un movimiento distinto
a sus vidas redondas y planas.

Pellegrino, Mariana Inés
    El punto y la raya / Marlana Inés Pellegrino; ilustraciones
Mariana Nemitz. -- Bogotá: Cangrejo Editores, 2009.
    32 p. : il. ; 21 cm.
    ISBN 978-958-8296-21-0
    1. Cuentos infantiles argentinos 2. Diferencias individuales -
Cuentos infantiles 3. Educación preescolar 4. Libros ilustrados
para niños I. Nemitz, Mariana, il. II. Tít.
I863.6 cd 21 ed.
A1210393

        CEP-Banco de la República-Biblioteca Luis Ángel Arango

7